Le problème de Pikachu

Hachette Livre, 58, rue Jean Bleuzen, 92178 Vanves Cedex

Le problème
de Pikachu

hachette
JEUNESSE

Pikachu

Ce Pokémon de type Électrik est extraordinaire ! Non seulement il est très malin, mais il est aussi extrêmement gentil, comme Sacha. D'ailleurs, il ne quitte jamais son Dresseur : on peut même dire que c'est son meilleur ami !

Sacha

Sacha vient de Bourg Palette, un petit village dans la région de Kanto. Il parcourt le monde pour accomplir son rêve : devenir un Maître Pokémon. Mais avant ça, il doit s'entraîner à devenir le meilleur Dresseur ! Et il est sur la bonne voie : c'est un garçon tellement gentil que tout le monde veut devenir son ami, même les Pokémon qu'il rencontre !

Rachid

Rachid est un expert en Pokémon : il connaît presque tout à leur sujet. Pourtant, il n'en attrape pas beaucoup ! En réalité, ce qui l'intéresse vraiment, c'est de rire avec ses amis. Et encore plus de leur faire des petits plats…

Iris

Iris n'a peur de rien, et certainement pas de dire ce qu'elle pense ! Dès qu'elle trouve quelque chose mignon, la jeune fille le veut… surtout si c'est un Pokémon !

Feuillajou

Tout comme son Dresseur Rachid, Feuillajou est gentil et toujours prêt à aider ceux qu'il apprécie. Ce Pokémon Singe Herbe de type Plante peut en guérir d'autres grâce aux feuilles qui poussent sur sa tête.

Coupenotte

Coupenotte est un Pokémon de type Dragon. Il suit Iris partout où elle va. C'est un Pokémon très rare, qui fait tout son possible pour aider les autres.

La Team Rocket

Jessie,
James et le Pokémon
parlant Miaouss forment un trio
diabolique. Ils passent leur temps
à essayer de voler des Pokémon !
Cette fois, c'est leur chef, Giovanni,
qui leur a donné la mission d'attraper
le plus de Pokémon possible à Unys
pour monter une armée…

Reshiram

Zekrom
et Reshiram sont
des Pokémon légendaires.
Uniques en leur genre, ils sont tellement
puissants qu'ils peuvent bouleverser
la météo ! Lorsque Reshiram libère
sa chaleur et que Zekrom produit
de l'électricité, il vaut mieux
s'éloigner !

Zekrom

Chapitre 1

Une arrivée mouvementée

— Ça y est, Pikachu ! On décolle !

Sacha regarde par le hublot. L'hydravion s'élève rapidement vers le ciel.

— Pi-ka ! se réjouit le petit Pokémon jaune.

Le garçon éclate de rire.

— Bien dit, Pikachu ! Je suis vraiment content de partir en voyage avec maman. En plus, on va dans la région d'Unys : je parie que là-bas, il y a des tas de Pokémon que je n'ai jamais vus !

— En effet, confirme le Professeur Chen, assis à côté de lui. Aucun des Pokémon d'Unys ne vit à Kanto. On va faire de belles découvertes !

— Je vous remercie de nous accompagner, Professeur, inter-vient la maman de Sacha. C'est

une chance pour nous que vous ayez des conférences à donner à Unys !

Sacha hoche la tête en souriant. Sa mère a raison : le Professeur Chen connaît si bien les Pokémon qu'il va apprendre plein de choses passionnantes avec lui !

Enfin, Sacha aperçoit la côte d'Unys par le hublot : elle est presque entièrement recouverte d'arbres. Il serre Pikachu dans ses bras.

— On y est, c'est pas trop tôt !

L'hydravion s'arrête au bord du quai et les passagers descendent la passerelle. Sacha, ravi, suit sa mère et le Professeur Chen, lorsque Pikachu s'immobilise. Il se retourne et observe la mer, l'air inquiet.

Sacha revient sur ses pas.

— Eh ben quoi, Pikachu ? Qu'est-ce que tu as vu ?

Le Pokémon frissonne. Il galope jusqu'au bout du quai, lève le museau. Un gros nuage noir approche. Sacha s'étonne :

— On dirait qu'un orage se prépare. C'est bizarre, tous ces éclairs qui se rassemblent au milieu du nuage…

Le garçon s'interrompt. Une pince géante vient de se refermer sur Pikachu !

— Pikaaaa ! proteste le prisonnier.

Vite, Sacha retient la pince avant qu'elle n'emporte son ami. Il se cramponne à elle de toutes ses forces quand il remarque qui la dirige : la Team Rocket !

— Encore vous ! hurle-t-il.

James, Jessie et Miaouss se tiennent debout sur l'aile de l'hydravion. Ils essaient, comme toujours, de capturer Pikachu, le plus puissant Pokémon du monde ! Mais ils sont surtout venus à Unys sur l'ordre de leur chef Giovanni, pour attraper des Pokémon rares et puissants

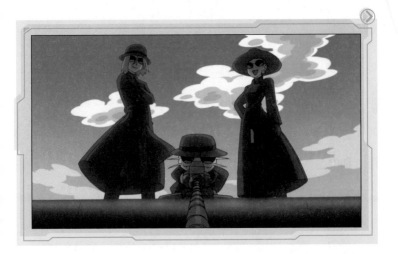

afin de monter une armée imbattable…

— Dire qu'on a trouvé un Pikachu dès notre arrivée à Unys ! ricane Jessie.

Miaouss maintient fermement la pince télescopique. Sacha ordonne :

— Pikachu ! Attaque Tonnerre !

— Pika-chuuuuuu !

Le Pokémon se concentre. Un halo d'énergie l'entoure et remonte le long de la pince jusqu'à la Team Rocket. Mais il ne se passe rien…

— C'est inutile, se moque James.

— Nous sommes immunisés contre Tonnerre, se vante Jessie.

Sacha cherche comment délivrer Pikachu, quand un rayon apparaît brusquement au centre de l'étrange nuage sombre. La foudre s'abat sur le

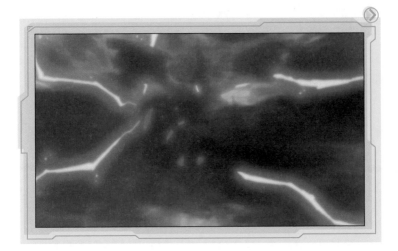

quai, faisant voler la pince en éclats.

— Pik-pika-chuuuuu !

Le petit Pokémon jaune est surchargé d'électricité ! Le courant crépite autour de lui. Soudain, le nuage se déchire et la silhouette d'un gigantesque Pokémon qui ressemble à un dragon noir apparaît en plein milieu. Puis, l'orage se dissipe d'un seul coup et le nuage s'éloigne. Personne ne comprend ce qui s'est passé… Au moins, la Team Rocket s'est enfuie et Pikachu est libre… mais il s'écroule, inconscient, aux pieds de Sacha !

Chapitre 2

Premier contact

Sacha, affolé, ramasse Pikachu sur le quai. Ouf ! Le petit Pokémon jaune ouvre les yeux.

— Pikachu, est-ce que ça va ?

— Pika !

Sacha l'embrasse, soulagé.

19

Pourtant, il s'inter-
roge toujours.
Il est certain
d'avoir aperçu
un immense
Pokémon noir
au cœur du nuage
orageux…

« Je me demande ce que
c'était… », pense-t-il.

Seulement, il n'a pas le temps
d'y réfléchir pour l'instant, car
le Professeur Keteleeria vient
les accueillir, lui, sa mère et le
Professeur Chen. C'est une
magnifique jeune femme, et le
meilleur chercheur d'Unys.

— Heureuse de vous rencontrer ! leur dit-elle. Si vous voulez bien monter dans la Jeep, je vous conduis au Laboratoire Pokémon de Renouet !

En chemin, Sacha écarquille les yeux, émerveillé par les nombreux Pokémon qu'ils croisent le long de la route.

Le Professeur Keteleeria sourit.

— Ces Pokémon sont nouveaux pour toi, Sacha ?

— Oui. J'ai hâte d'apprendre à les connaître !

À ces mots, des étincelles s'échappent de Pikachu alors qu'il ne combat pas. Sacha s'inquiète :

— Il a déjà fait ça, pendant l'orage…

— Si tu veux, je peux l'examiner, propose le professeur. Ce sera d'autant plus passionnant qu'on n'a encore jamais eu l'occasion d'approcher de Pikachu !

Peu après, au Laboratoire Pokémon de Renouet, Sacha est rassuré. Le Professeur Keteleeria a vérifié : Pikachu est en bonne santé.

— Le champ électrique de l'orage était d'une puissance exceptionnelle, constate la jeune femme. Pikachu l'a absorbé en grande quantité, mais il semble n'avoir aucun problème.

Au même moment, un homme vient annoncer qu'un nouveau Dresseur Pokémon attend le Professeur à l'accueil, afin de commencer son voyage d'initiation. Sacha, lui-même Dresseur, s'étonne. Le Professeur Chen lui explique :

— Le Professeur Keteleeria est chargée d'assigner un Pokémon de départ à chaque nouveau Dresseur d'Unys.

— Un Pokémon pour débuter son entraînement de Dresseur ? Génial ! Je peux vous accompagner, Professeur Keteleeria ?

— Bien sûr, Sacha !

À l'accueil, un garçon aux cheveux châtains prend des photos.

— Bienvenue dans le monde des Pokémon, Niko ! le salue la jeune femme. Je te présente Sacha, un autre Dresseur qui vient de Bourg Palette, dans la région de Kanto.

— Kanto ? répète Niko d'un ton méprisant. Quel coin paumé !

— Pardon ?

Sacha s'énerve : non mais, pour qui il se prend, ce Niko, avec ses grands airs ?! Heureusement, le Professeur Keteleeria intervient :

— Ça suffit, Niko ! Aujourd'hui, tu deviens Dresseur : c'est l'heure de désigner ton premier Pokémon. Tu as le choix entre Gruikui, un type Feu…

Elle s'empare d'une Poké Ball, la jette devant elle, et un

Pokémon Cochon Feu orange aux oreilles marron foncé en sort en grognant :

— Gruikui !

— … Entre Moustillon, de type Eau…, reprend le professeur en lançant une autre Poké Ball.

Un adorable petit Pokémon Loutre à tête blanche apparaît et s'écrie :

— Moustillon !

— Et pour finir : Vipélierre, de type Plante !

Un Pokémon Serpenterbe à la queue en forme de feuille se dresse avec assurance devant eux.

— Vipélierre !

— Oh là là ! Ils sont tous géniaux ! s'exclame Sacha. Moi, à ta place, Niko, j'aurais du mal à choisir…

— Mais tu n'es pas à ma place, et je prends Vipélierre !

Premier affrontement

Équipé de son Pokédex, l'encyclopédie électronique des Pokémon, et d'une réserve de Poké Balls vides, Niko se met en route. Depuis le temps qu'il attend de partir en voyage d'initiation !

Sacha le rejoint en courant dans le parc du Laboratoire Pokémon.

— Attends, Niko ! Je voulais savoir : tu vas disputer des combats d'Arène, pendant ton voyage ?

— Évidemment ! Les Dresseurs doivent remporter huit Badges de combat pour participer au défi de la Ligue Pokémon de la région d'Unys.

— Ça se passe exactement comme à Kanto, alors !

À cet instant, Niko remarque Pikachu, sur l'épaule de Sacha. Il se renseigne :

— Au fait, il est fort, ton Pokémon ?

— Oh oui ! C'est la forme évoluée d'un Pichu. Tu veux une démonstration ?

— Avec plaisir !

Le duel va commencer. Sur le site d'entraînement du Laboratoire Pokémon, Sacha et Pikachu font face à Niko et Vipélierre.

— Juste une seconde, Sacha. Je prends une photo-souvenir du premier combat de Vipélierre, réclame Niko.

— C'est aussi notre premier combat à Unys ! répond Sacha.

Une fois la photo prise, il ordonne :

— On y va ! Pikachu, utilise Vive-Attaque !

Le petit Pokémon jaune s'élance droit sur Vipélierre, qu'il bouscule d'un coup de tête impressionnant ! Niko riposte aussitôt :

— Vipélierre, Charge !

Heureusement, Pikachu esquive d'un bond, évitant ainsi le plaquage du Pokémon Serpenterbe. Sacha enchaîne :

— Attaque Tonnerre !

Mais Pikachu a beau faire de son mieux, il ne parvient pas à canaliser son énergie électrique, et Vipélierre le met à

terre ! Sacha ne baisse pas les bras. Il ordonne :

— Électacle !

Cette fois encore, Pikachu n'arrive pas à rassembler la charge électrique nécessaire. Il semble épuisé. Devinant que ce sont seulement les attaques de type Électrik que son

Pokémon ne parvient pas à réaliser, Sacha tente un autre coup :

— Queue de Fer !

Ouf ! Pikachu réussit. Sauf que Vipélierre esquive et riposte par une attaque inédite : Phytomixeur ! Pikachu ne peut pas résister au tourbillon de feuilles acérées, et le pauvre perd le combat…

Bouleversé, Sacha ramène Pikachu au laboratoire du

Professeur Keteleeria. Celle-ci n'a aucun doute :

— Pikachu va bien, mais la surcharge électrique qu'il a reçue pendant l'orage court-circuite ses mouvements de type Électrik.

— Vous voulez dire qu'il ne pourra plus jamais les utiliser ? s'affole Sacha.

Pour toute réponse, un nuage sombre se matérialise soudain dans le ciel ! C'est le même que celui du quai : des éclairs en jaillissent et une ombre étrange se dessine en son centre. Le Professeur Keteleeria bredouille :

— On dirait Zekrom, le Pokémon légendaire…

Comme la première fois, le nuage se dissipe brusquement et Pikachu récupère d'un coup tous ses pouvoirs ! Sacha est fou de joie, même s'il ne comprend pas ce qui s'est passé. En tous cas, si un

Pokémon légendaire fait son apparition dans la région d'Unys, il faudra bien découvrir pourquoi…

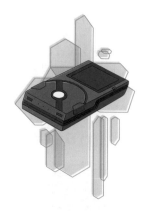

Une nouvelle amie

Au dîner, Sacha annonce à sa mère et au Professeur Chen qu'il aimerait profiter de leur visite à Unys pour accomplir un voyage de Dresseur Pokémon, lui aussi. Il y en a tant à découvrir, dans la région !

— Ta décision ne m'étonne pas, Sacha ! s'exclame sa mère.

— Je vais rencontrer tous les Champions d'Arène, se réjouit le garçon. Je gagnerai mes huit Badges, et puis je remporterai le défi de la Ligue Pokémon de la région d'Unys !

Le lendemain matin, le Professeur Keteleeria remet son Pokédex et ses Poké Balls à Sacha.

— L'Arène d'Ogoesse est la plus proche d'ici, précise-t-elle. Tu devrais lancer ton premier défi là-bas, tu risques d'y retrouver Niko…

— Niko ? Super ! Comme ça, si on se bat encore contre lui, on prendra notre revanche. Pas vrai, Pikachu ?

— Pika, Pika !

— Il y a un Centre Pokémon de l'autre côté de la forêt.

N'hésite pas à t'y rendre si tu en as besoin.

— D'accord, Professeur ! À bientôt tout le monde !

— Au revoir, Sacha ! dit sa mère en l'embrassant. Sois prudent, et donne-nous de tes nouvelles !

Sacha remonte le sentier qui traverse la forêt. Il regarde à droite, à gauche. Il est impatient de rencontrer un Pokémon d'Unys ! Soudain, un buisson s'agite au bord du chemin. Vite, le garçon lance une Poké Ball dans l'espoir d'attraper son premier Pokémon ! Mais…

— Aïe ! Tu peux me dire ce que tu fabriques, espèce d'idiot ?!

Une fillette avec de grosses couettes violettes sort du buisson, très fâchée d'avoir reçu la Poké Ball en plein dans le front !

— Tu trouves que j'ai une tête de Pokémon, ou quoi ?

— Je suis désolé, s'excuse Sacha d'un air gêné.

À cet instant le Pokémon de la fillette surgit : Coupenotte, un type Dragon. Sacha l'admire, tandis que la fillette aperçoit Pikachu.

— Qu'il est mignon ! s'écrie-t-elle en le serrant sur son cœur. D'où est-ce qu'il vient ?

— De Kanto. Moi, je m'appelle Sacha.

— Et moi, Iris ! se présente la petite fille. Je vous ai vus arriver, hier, sur le quai, pendant cet

orage bizarre… Tu sais ce que c'était ?

— Le Professeur Keteleeria a parlé de Zekrom.

Iris écarquille les yeux.

— Le Pokémon légendaire ? Je rêve de le rencontrer !

Sacha, sourit. Lui aussi rêve de rencontrer tous les Pokémon de la région !

Chapitre 5

Moustillon à la rescousse

Le matin suivant, Iris et Coupenotte ont déjà quitté le campement quand Sacha et Pikachu se réveillent. Ils reprennent leur route en espérant retrouver plus loin leurs nouveaux amis, lorsqu'une nuée de Pokémon gris attire leur attention. Sacha vérifie leur identité sur son Pokédex : il s'agit de Poichigeon, des Pokémon de type Vol. Aussitôt, Sacha n'a plus qu'une idée : en attraper un !

— Vas-y, Pikachu ! Combats-le !

Mais le Poichigeon se défend bien. Tonnerre, Vive-Attaque et Queue de Fer ne l'impressionnent pas beaucoup. D'autant qu'il sait même s'échapper de la Poké Ball et utiliser Tornade, Vive-Attaque et Tranch'Air ! La bataille est

extrêmement difficile. Mais ni Sacha, ni Pikachu n'abandonnent. Et grâce à une attaque Tonnerre particulièrement réussie, la Poké Ball se referme pour de bon sur le Poichigeon !

— Hourra ! triomphe Sacha. J'ai attrapé mon premier Pokémon d'Unys !

— Tu es aussi content juste parce que tu as réussi à prendre un Poichigeon de rien du tout, Sacha ? le taquine Iris en le rejoignant.

Sacha ne se vexe pas. Il connaît le caractère de la fillette, maintenant. Il s'apprête à répondre quand, tout à coup, deux grosses pinces télescopiques s'emparent de Pikachu et de Coupenotte !

— La Team Rocket ! s'exclame le garçon.

Iris fronce les sourcils. Il lui explique :

— C'est Jessie, James et Miaouss. Une bande de voyous qui ne pensent qu'à voler les Pokémon des autres !

— Exact, admet Jessie. Notre but est de créer une armée de Pokémon pour conquérir le monde. Et nous allons commencer par prendre le contrôle d'Unys…

Là-dessus, James enferme Coupenotte et Pikachu dans une grande boîte en verre. Iris serre les poings de rage.

— Non ! Vous n'avez pas le droit !

— Ça ne se passera pas comme ça ! renchérit Sacha. Poichigeon, je te choisis !

Sans hésiter, Miaouss se lance dans le duel.

— Combo-Griffe !

— Poichigeon, utilise Tornade, vite ! commande Sacha.

Le Pokémon
agite si fort les
ailes qu'il repousse
Miaouss. Jessie décide
de changer de tactique : un
Pokémon de type Vol d'Unys
contre un autre Pokémon de
type Vol d'Unys. Et elle libère
celui qu'elle a capturé la veille,
dans la grotte du QG de la
Team Rocket.

— Chovsourir, utilise Lame
d'Air ! appelle-t-elle.

Par chance, Poichigeon
esquive. Sacha s'écrie :

— Bien joué ! Utilise Vive-
Attaque !

— Esquive et lance Tornade, Chovsourir ! ordonne Jessie.

Cette fois, Poichigeon est battu : il s'écroule dans l'herbe. La Team Rocket gonfle aussitôt sa montgolfière portable et s'échappe en embarquant Pikachu et Coupenotte.

— Oh non ! Qu'est-ce qu'on va faire ? panique Iris.

À ce moment-là, Moustillon sort de derrière un buisson. Il court vers eux, envoie son coupillage dans la toile de la montgolfière, qui retombe lourdement à terre, crevée. Iris et Sacha se précipitent au secours de leurs Pokémon. Évidemment, la Team Rocket est furieuse.

— Ça ne se passera pas comme ça, hurle Jessie. Chovsourir, Lame d'Air !

Mais Pikachu rassemble ses dernières forces. Et avec l'aide de Moustillon et d'une attaque Électacle surpuissante, il bat facilement la Team Rocket, qui s'enfuit sans demander son reste !

— On doit tout de suite emmener Pikachu, Poichigeon et Coupenotte au Centre Pokémon, déclare Sacha. Merci, Moustillon !

— Rassurez-vous les enfants :
vos Pokémon n'ont rien, affirme
l'Infirmière Joëlle après les
avoir examinés.

Iris et Sacha soupirent de sou-
lagement. La fillette ajoute en
riant :

— Tu ne te débrouilles pas si
mal que ça, finalement, Sacha.

Tu as sauvé Coupenotte. Je te remercie !

— C'est plutôt Moustillon qu'il faudrait remercier, répond le garçon. D'ailleurs, je me demande pourquoi il nous a suivis.

— Aucune idée, avoue Iris. Et je ne sais même pas où il est passé !

Ils l'ignorent, mais Moustillon les observe, de derrière la fenêtre du Centre Pokémon, comme s'il veillait sur eux.

Encore un mystère que Sacha devra résoudre…

Fin

Le Poichigeon de Sacha

Types :

Vol

Normal

Attaques préférées :

Tranch'Air ou Tornade

Extrêmement rapide et puissant, il faut se méfier de son apparence… Après un long combat, Sacha et Pikachu ont finalement réussi à en attraper un. C'est le premier Pokémon d'Unys capturé par Sacha !

Retrouve toutes les aventures de Sacha et Pikachu en Bibliothèque Verte !

Un mystérieux Pokémon

Le combat de Sacha

La capture de Vipélierre

Le secret des Darumarond

Un fabuleux défi

La revanche de Gruikui

Le huitième Badge

Le pouvoir de Meloetta

La Ligue d'Unys

Le réveil de Reshiram

Le tournoi Pokémon Sumo

Aventures à Kalos

Le voyage de Sacha
est loin d'être terminé !
Retrouve le Dresseur
dans le prochain tome :

Le mystérieux Pokémon

Sacha et Pikachu sont prêts
à disputer de nouveaux Duels !
Mais avant de combattre,
ils doivent aider les
habitants d'Arabelle
à mettre la main
sur un mystérieux
Pokémon qui met
la ville sens dessus
dessous…

Pour en savoir plus, fonce sur le site
www.bibliotheque-verte.com

Tu as toujours rêvé de devenir
un Dresseur Pokémon ?
Tu as de la chance :
grâce à cette nouvelle histoire,
tu vas pouvoir faire tes preuves.
Tu es prêt ? Cette fois-ci
c'est à *ton tour* de tous les attraper

TABLE

PAPIER À BASE DE
FIBRES CERTIFIÉES

⊡ hachette s'engage pour
l'environnement en réduisant
l'empreinte carbone de ses livres.
Celle de cet exemplaire est de :
250 g éq. CO_2
Rendez-vous sur
www.hachette-durable.fr

Photogravure Nord Compo - Villeneuve d'Ascq

Imprimé en Espagne par CAYFOSA
Dépôt légal : septembre 2012
Achevé d'imprimer : août 2016
20.2773.8/13 – ISBN 978-2-01-202773-2
Loi n° 49956 du 16 juillet 1949
sur les publications destinées à la jeunesse